KB096639

야구책

글/그림 김태희
표지 김태희 김권종

야구책

발 행 | 2024년 1월 19일
저 자 | 김태희
펴낸이 | 한건희
펴낸곳 | 주식회사 부크크
출판사등록 | 2014.07.15.(제2014-16호)
주 소 | 서울특별시 금천구 가산디지털1로 119 SK트윈타워 A동 305호
전 화 | 1670-8316
이메일 | info@bookk.co.kr

ISBN | 979-11-410-6780-9

야구책

김태희 지음

CONTENT

머리말 6

제1화 그냥 둬 7

제2화 전교 회장 투표 소동 11

제3화 밝혀져 가는 범인 15

제4화 내가 신문에 나왔다고?! 20

제5화 바르샤바 왕궁 광장을 가져간
　　　범인을 찾아라! 24

제6화 립피는 범인...? 28

제7화 해바라기 키우기 34

제8화 가을 운동회 40

부록 45

작가의 말(김태희) 50

머 리 말

글 / 그림 김태희

2014년 서울성모병원에서 태어난 김태희는 작가가 꿈입니다. 집에서 글쓰기와 그림그리기를 매우 좋아하는 김태희는 A4 용지를 이용해 그림책을 만들며 작가의 꿈을 꾸고 있습니다. 그러던 중 '떠돌이 개 덕구' 책을 출판하고 이어서 '야구책'을 출판하게 되었습니다.

김태희가 손으로 A4 용지에 그림과 글로 '야구책'을 쓴 것을 아빠(김권종)가 컴퓨터로 그대로 입력하여 부크크를 통해 책을 출판하게 되었습니다.

이 책을 출판할 수 있게 김태희에게 재능을 주신 하나님께 먼저 감사드립니다.

김태희의 엄마(이수연), 오빠(김태은), 늘 매일 기도해 주시는 할아버지(김주관), 할머니(박용진), 큰고모부(이석우 목사), 큰고모(김완옥:김사라 사모), 이엘리 언니, 이하리 언니, 외할머니(성홍주), 외삼촌(이항용)에게 감사드립니다.

'야구책'를 읽고 모든 사람이 꿈과 희망을 품기를 바라며 이 책을 추천해 드립니다.

제1화 그냥 둬

책의 표지에 야구책이라고 평범하게 적힌 것은 그냥 놔 둬.

설마 책 표지에 야구책이라고 적힌 것을 ×표 하진 않겠 지?

그냥 두면 아무 문제도 안 생긴다. 야구책이라고 적힌 게 창피하면 표지 안 보이게 읽으면 되지.

아마 초등학교 3학년 때 배웠을 텐데, '그냥 놔두세요' 시 알지?

기억이 날지 모르겠다.

그러니까 이 책에서 꼭 명심해야 할 것은 그냥 두고, 절대로 야구하는 법에 대해 적혀 있는 게 아니라는 것을 명심해!!

아! 그리고 난 사람이 아니야.

뭐라고?

아니야, 동물도 아니야.

난 그냥 평범하게 돌아다니는 야구공, 바로 사물이다.

오늘 프치크네 집 앞 골목을 굴러갔다.

프치크네 아줌마는 아~~~~~~주 까다롭다.

소리 나게 굴러다니면 분명 뻥 날아갔을 것이다.

이웃들이 프치크네 아줌마의 정원을 멀리서 봤을 뿐인데 프치크네 아줌마는 문을 "쾅" 닫아 버린다.

언제 난 실수로 거기에서 나뭇가지 밟은 소리를 냈다가 뻥 날아갔다.

그래서 난 이제부터 절대로 그 골목을 안 지나갈 것이다.

오늘 5학년 아이들이 종이 치자마자 우르르 나왔다.

난 내가 밟힐 수도 있어서 몸을 피했다.

그때였다. 너무너무 배가 고팠다.

바람이 다 빠졌기 때문이다.

난 바람 넣는 야구공이다.

야구공의 한 일종이지.

그래서 난 편의점 옆에 있는 자전거 바람 넣는 것으로 배를 채웠다.

그때 프치크가 자전거를 타고 오고 있었다.

난 뽑기 기계 뒤로 숨었다.

프치크는 자전거를 세우고 바람을 넣었다.

그러고는 쌩~ 지나갔다.

난 그냥 재미로 프치크를 따라갔다.

프치크는 한 500m를 달리고 나서야 자전거를 세우고 걸어갔다.

나도 프치크를 따라갔다.

프치크는 어떤 큰 건물로 들어갔다.

그 건물 계단으로 가는 건 쉽지 않았다.

마침내 나는 3층 프치크가 들어간 곳에 도착했다.

프치크가 들어간 곳은 피아노 학원이었다.

난 문이 닫히기 전에 빨리 피아노 학원으로 들어갔다.

그런데 문 앞에 어떤 코 큰 강아지가 있었다.

그 강아지는 날 보고 코를 킁킁거리더니 나한테 막 짖었다.

그러다가 나를 잡으려고 했다.

난 재빨리 도망쳤다.

그러다가 강아지는 코를 문에 박았다.

그것을 보고 아이들이 웃자, 그 강아지가 날 쫓아왔다.

난 당장 그랜드 피아노 의자 아래에 들어갔다.

그래서 강아지는 의자 밑으로 들어갔다.

그런데, 거기에 꽉 꼈는지 몸을 바둥대다가 그만 의자가 넘어져 그 의자에 앉아 래슨받던 아이가 악보에 얼굴을 박고 넘어졌다.

옆에 계시던 피아노 학원 선생님도 깜짝 놀라셨다.

강아지는 거기서 겨우 빠져나와 날 쫓아왔다.

난 계속 굴러다니다가 그만 어떤 아이한테 밟혀서 그 아이가 넘어지고 난 날아가 시계를 깨뜨렸다,

피아노 학원은 완전히 아수라장이 되었다.

제 2 화 전교 회장 투표 소동

오늘 학교에 들어갔더니 전교 회장 선거를 한다고 했다.

이제 2학기 전교 회장을 뽑는 거다.

이제 여름방학이 얼마 안 남았다.

전교 회장 후보 포스터를 보았는데 거기에 프치크가 있었다.

프치크의 공약을 보니 이렇게 쓰여 있었다.

1. 교실을 깨끗이 하겠습니다.
2. 학교 폭력을 멈추겠습니다.
3. 행사를 많이 하겠습니다.
4. 친구를 돕겠습니다.

난 프치크의 공약이 가장 좋은 것 같다.

내일 전교 회장, 전교 부회장 투표를 한다.

난 프치크가 뽑혔으면 한다.

다음 날 아침에 학교에 가보니 아이들이 막 모여있고, 웅성댔다.

난 아이들을 비집고 들어갔더니 세상에!!!

전교 회장 포스터만 다 없어졌다.

분명 어제저녁만 해도 있었는데...

그때 방송국에서 교장 선생님 목소리가 나왔다.

"안녕하세요, 여러분!

지금 전교 회장 포스터가 다 없어졌다는데...

모두들 침착하세요!

제가 어떻게든 해 보겠습니다!!"

어떻게든 해 본다던데 난 더 이상 안심이 되지 않았다.

그때 프치크가 나에게 말을 걸었다.

"야구공아, 우리를 도와줘"

"내 말이 들려?"

난 깜짝 놀란 듯이 말했다.

"응, 지금 우리 학교 전교 회장 포스터가 다 없어졌거든... 같이 조사해서 꼭 찾아내자!"

난 대답했다.

"응!"

그렇게 나와 전교 회장에 나온 아이들과 함께 어디에 포스터가 있는지 찾았다.

하지만 포스터는 안 나왔다.

그때 교장 선생님이 오셨다.

그래서 우리는 교장 선생님과 함께 포스터와 범인을 찾았다.

다행히 용의자 몇 명을 찾았다.

1위 용의자는 바로 게디다.

게디다는 평소에 전교 회장 후보들에 대해 나쁘게 말했다.

그 다음, 2위 용의자는 바로 티치다.

티치는 전교 회장 후보들한테 포스터가 영 좋지 않다고 막 말했다.

마지막 3위 용의자는 '나'라고 했다!

난 아니라고 계속 말했지만 모두 다 '나'라고 했다.

이유는 학교를 어제저녁에 갔다고 했다.

너는 내가 아니라는 걸 알지?

난 절대로 훔치지 않았다고...

나를 믿어도 좋다.

다음날 교장 선생님이 안내 방송으로 말하셨다.

"아, 아, 네, 여러분, 최근에 누가 전교 회장 포스터를 다 가져갔습니다. 따지지도 않고, 묻지도 않고, 비밀로 해 주니, 오늘 안으로 교장실로 와서 말하세요!

말 안 하면 말할 때까지 쉬는 시간에 교실 밖으로 못 나갑니다!"

난 절망에 빠졌다.

쉬는 시간에 교실에서 프치크 필통 안에 갇혀 있을 신세니...

교장 선생님은 또 이렇게 말했다.

만약, 일주일 동안 말 안 하면 초등학교 1학년부터 6학년까지 전교생이 다 교장 선생님과 얘기할 거라고...

제3화 밝혀져 가는 범인

　오늘 레터가 쉬는 시간에 달려오며 말했다.

　교장 선생님이 CCTV를 봤는데 범인이 거기에 찍혔다고...

　그런데 자세히는 모르는데 머리카락이 길고, 노랑 슈즈를 신고, 하얀 마스크를 썼다고 했다.

　우리 반에 제일 그렇게 생긴 아이들은 3명이다.

　첫 번째 용의자는 바로 티치다.

　티치는 노랑 슈즈를 신었고, 하얀 마스크를 썼다.

　두 번째 용의자는 헬리 칼터였다.

　헬리 칼터는 머리가 길고, 하얀색 마스크를 썼다.

　세 번째 용의자는 립피 헤릴더다.

립피 헤릴더는 머리카락이 길고, 노랑 슈즈를 신었다.

교장 선생님은 오늘 이 세 명을 불러 얘기를 했다.

가장 범인에 가까웠던 사람은 바로 헬리 칼터였다.

헬리 칼터는 어제 전교 회장 포스터가 있는 곳에서 한참을 머물렀다.

하지만 헬리 칼터는 자기가 '누구를 뽑을까?' 고민했다고 했다.

난 오늘 학교가 끝나고 프치크랑 집으로 갔다.

그런데 생각해 보니 교장 선생님을 의심해 본 적이 없었다.

그런데 정말 신기했다.

교장 선생님은 늘 하얀 마스크를 쓰고 오시고, 머리카락이 길고, 늘 노랑 슈즈를 신고 오신다.

그리고 어제 학교 끝나고 교장 선생님이 전교 회장 포스터가 있는 곳에서 한참을 머무르시고, 무엇인가 들고 부리나케 달려가셨다.

난 이것을 프치크에게 말했다.

프치크는 내일 이 상황을 학교에 말할 것이라고 했다.

다음날 프치크와 나는 아이들과 담임 선생님께 교장 선생님에 대해 말했다.

그리고 쉬는 시간에 교장 선생님께 이 상황을 말씀드렸다.

하지만 교장 선생님은 이리저리 날뛰며 이제는 끝났다고 하셨다.

그리고 몇 분 후 교장 선생님은 이렇게 말씀하셨다.

전교 회장 후보들에 대해 아이들이 쉬는 시간마다 와서 말하니까 너무 싫어서 아이들이 아예 못 물어보게 포스터를 뗐다고 말씀하셨다.

우리는 교장 선생님께 다음부터는 아이들이 너무 많이 여쭙지 못하게 하겠다고 말씀드렸다.

대신 포스터를 다시 붙여 주셨으면 한다고 말씀드렸다.

그러자 교장 선생님은 알았다며 이 사실은 알려도 되지만 꼭 우리 모두 약속을 지켜야 한다고 말씀하셨다.

이렇게 이 일은 해결되었다.

오늘은 기다리고 기다리던 전교 회장 투표 날이다.

포스터가 없어져서 계속 투표가 연기되다가 오늘 드디어 투표하기로 한 것이다.

모두가 투표에 참여했다.

난 당연히 프치크를 뽑았다.

왜냐하면 프치크는 공약도 좋고 잘할 것 같아서이다.

누가 전교 회장이 되었는지는 내일 발표한다고 했다.

다음 날 아침 9시 정각에 교장 선생님께서 말씀하셨다.

"여러분, 힘이 넘치고, 태도와 공약이 풍부한 프치크가 전교 회장이 됐습니다!!!"

우리 반 아이들은 아주 크게 환호성을 질렀다.

나도 아주 큰 환호성을 질렀다.

오늘은 정말 신나는 날이다.

아이들이 프치크한테 와서 말했다.

오늘 학교 끝나고 나와 야구하자고...

나와 프치크는 고개를 끄떡였다.

제4화 내가 신문에 나왔다고?!

오늘 아침, 신문을 보고 있는데 어떤 사진이 눈에 띄었다.

그런데 그 사진을 자세히 보니까 '나'였다.

아니, 내가 어떻게 신문에 나왔지?

그 신문을 봤더니 이렇게 적혀 있었다.

어제 헬피 초등학교에서 전교 회장 포스터를 가져간 범인이 나왔습니다.

그 범인을 찾은 사람은 바로 말하는 야구공이었습니다!!!

그래서...

신문에 내가 나왔다니...

이건 분명 우리 학교에 다니는 누군가가 이 일을 신문사에 알린 것 같다.

그럼, 이 신문을 사람들이 볼 때마다 난 점점 더 유명해질 것이다.

그럼, 돈도 더 많이 받고, 부자가 될 수도 있다.

너무너무 신난다.

내일 이 신문을 학교에 들고 가서 내가 신문에 나왔다고 자랑해야지!

그런데 참 궁금하다.

어떻게 내가 신문에 나온 거지?

누가 날 신문사에 알린다고 말도 안 했는데...

난 프치크한테 가서 이 말을 모두 다 했다.

프치크도 놀라서 넘어질 뻔했다.

프치크도 내일 학교에 가서 내가 신문에 나왔다고 얘기하자고 했다.

나는 더욱더 신이 났다.

다음날, 난 신문을 들고 프치크와 엄청나게 빨리 학교로 달려가서 교실에 들어오자마자 신문을 꺼내 아이들에게 내가 신문에 나왔다고 말했다.

그러자 아이들은 손뼉을 치며 칭찬해 주었다.

난 엄청나게 신났다.

그러자 아이들이 신문을 들고 선생님께 가서 선생님께도

보여드렸다.

선생님께서도 나를 칭찬해 주셔서 좋았다.

그런데 이 이야기를 도대체 누가 신문사에 알린 것일까?

난 너무너무 궁금했다.

하지만 답은 나오지 않았다.

오늘 미술 시간에 세계의 문화유산을 조사한 것을 만드는 시간이었다.

프치크는 바르샤바에 있는 바르샤바 왕궁 광장을 만들었다.

그리고 그 작품에 관해서도 썼다.

내가 프치크가 만든 바르샤바 왕궁 광장을 봤는데 엄청나게 잘 만들었다.

선생님이랑 아이들도 아주 잘 만들었다고 말했다.

바르샤바 왕궁 광장

제5화 바르샤바 왕궁 광장을 가져간
범인을 찾아라!

다음날, 학교에 와보니 바르샤바 왕궁 광장이 없어졌다!!

분명 프치크가 사물함 뒤에 전시하고 갔는데!

내가 프치크와 함께 이 일을 선생님께 말씀드렸다.

선생님도 문을 잠그시고 퇴근하기 전까지는 있었다고 말씀하셨다.

창문도 다 닫혀 있었다고 하셨다.

창문도 다 잠갔다고 하셨다.

그럼, 분명 가져갈 구멍이 없는데!

아이들한테 다 물어봤지만, 아이들도 자기가 안 했다고

말했다.

그런데 왜 하필 프치크 것만 사라졌지?

선생님이 이렇게 말씀하셨다.

혼내지도 않고, 묻지도 않을 테니 오늘 안으로 프치크의 작품을 돌려놓으라고 말씀하셨다.

도대체 누가 가져간 걸까?

오늘 6교시가 되어도 프치크의 작품은 안 보였다.

학교 여기저기를 둘러봐도 없었다.

모두 다 찾아봤는데, 없었다.

선생님은 오늘 아무도 안 갖다 놓았으니, 벌을 주셨다.

말할 때까지 교실에서 책만 읽으라고 했다.

난 너무너무 억울했다.

난 잘못이 없는데 교실에서 책만 읽어야 했다.

1주일이 지나도 아무도 안 갖다 놓았다.

오늘은 미술 시간에 만든 작품을 집으로 가져가는 날인데 프치크만 못 가져갔다.

오늘 학교 끝나고 프치크랑 집으로 오는데, 길바닥에 프치크가 만든 바르샤바 왕궁 광장 조그만 건물 하나가 있었다.

프치크는 그것을 얼른 줍고, 나에게 이렇게 말했다.

여기에 자기가 만든 작품 조각이 있으니까 여기 근처에

분명 범인이 있을 것이라고 말했다.

그리고 나랑 프치크는 범인을 찾기 시작했다.

발자국, 작품 조각 몇 개를 발견했다.

우리는 그것을 따라가다가 마침 어떤 집으로 왔다.

그 집은 바로 립피네 집이었다!

립피는 도둑질도 안 하고, 공부도 잘하는 착한 아이인
데!!!

설마, 립피가 어떻게 도둑질하겠어!!!

난 립피네 집 앞문을 두드렸다.

그러자 립피가 나왔다.

"왜?"

"혹시 네가 바르샤바 왕궁 광장을 가져갔니?"

립피는 고개를 바로 흔들면서 문을 쾅! 닫아 버렸다.

난 립피가 이렇게 행동하는 것을 처음 보았다.

과연 우리는 범인을 찾을 수 있을까?

제 6화 립피는 범인...?

내가 다시 립피네 집 앞 문을 두드려도 립피는 절대로 나오지 않았다.

난 더 세게 문을 두드렸다.

그러자 립피가 드디어 나왔다!

"아~ 왜!!"

"네가 혹시 바르샤바 왕궁 광장을 가져갔니?"

난 이렇게 대답했다.

립피는 "아! 아니라고~!!"

이렇게 말했다.

아무래도 립피가 우리가 원하는 대로 안 변하면(바르샤바 왕궁 광장을 가져갔다고 말 안 하는 것) 이 사건은 해결이 안 될 것 같다.

그렇지만 100년이 지나면 발견될 수도 있다.

아! 만약에 립피가 바르샤바 왕궁 광장을 가져갔다면 이런 이유가 있을 것이다.

평소에 립피는 교실 안에서 책 읽기를 좋아한다.
그런데 우리 선생님이 교실에서 못 나가게 하시니까 립
피는 아이들이 조용히 하는(왜 조용히 하냐면 선생님이
있어서) 교실에서 계속 책을 읽으려고 바르샤바 왕궁 광
장을 안 돌려주는 것 같다.

아침에 학교에 가는데 어떤 큰 까마귀가 와서 프치크 가방 위에 있는 나를 퍽 낚아채 갔다.

난 뱅글뱅글 돌면서 까마귀 발톱 아래에서 계속 돌았다.

난 엄청 어지러웠다.

프치크가 뛰어올라 나를 잡았다.

까마귀와 나, 그리고 프치크는 떨어졌다.

"으악!!!!"

우리는 쾅 떨어졌다.

그리고 우리는 다시 학교에 갔다.

오늘 과학 시간에 실험한다고 했다.

선생님께서 어떤 것인지는 모르겠지만 어떤 액체를 모둠에 하나씩 주셨다.

그리고 뜨거운 물, 차가운 물, 젤라틴을 주셨다.

우리는 그것을 가지고 실험했다.

젤라틴에 뜨거운 물과 어떤 액체를 부으면 젤라틴이 어떻게 변하는지와 젤라틴에 차가운 물과 어떤 액체를 부으면 젤라틴이 어떻게 변하는지를 우리는 실험 관찰 책에 썼다.

다음날, 립피가 학교에 왔다.

1교시가 끝난 후, 아이들이 놀았다.

그때 립피가 선생님께 가서 말했다.

난 귀가 밝아서 립피가 뭐라고 말하는지 엿들었다.

아주 작았지만, 립피는 이렇게 말했다.

난 립피가 바르샤바 왕궁 광장을 자기가 가져갔다고 말할 줄 알았는데 내 예상과는 달랐다.

"저, 선생님.......

남자 화장실에서......

뱀이 나왔어요!!!!"

그러고 보니, 어제 청소 할머니가 화장실 청소를 안 하신 것 같다.

그런데 이 일은 모두(이층에 있는 아이들과 선생님들만) 알고 있었다.

그래서 선생님은 남자 화장실 문 앞으로 가셨다.

순간, 선생님은 소리치셨다.

"악!! 뱀이다!! 뱀!!!"

선생님은 당장 교장실로 전화했다.

그러고는 교장 선생님께서 뱀 처리하는 사람들을 불렀다.

10분 뒤, 뱀 처리하는 사람들이 왔다.

그러고는 남자 화장실에 뱀 덫을 설치했다.

우리는 선생님 컴퓨터로 뱀을 보며 뱀이 잡히길 만을 기다렸다.

하지만 뱀은 절대로 덫에 들어가지 않았다.

그것도 뱀이 좋아하는 쥐가 덫 안에 있는데도 말이다.

뱀 처리하는 사람들은 안 되겠다며 직접 뱀을 잡기로 했다.

어떤 아저씨가 가방에서 뱀 약과 그물을 꺼냈다.

뱀 약에는 이런 그림이 있었다.

선생님 컴퓨터로 보니 그 아저씨는 뱀 약과 그물을 들고서는 남자 화장실로 들어갔다.

아저씨는 뱀과 1m 거리를 두고, 뱀을 쥐로 유인했다.

뱀이 아저씨 쪽으로 30cm쯤 다가왔을 때 아저씨는 뱀약을 뱀에게 뿌렸다.

순간 뱀은 몸을 흔들며 뒤집어졌다.

그때, 또 다른 아저씨가 와서 뱀을 그물로 잡았다.

그리고는 뱀을 철조망에 넣고는 선생님들과 조금 이야기하고는 가셨다. 뱀은 한 1m 정도 됐다.

이 뱀이 나온 이유는 뱀이 우연히 여기로 온 것이라고했다.

제 7 화 해바라기 키우기

아무래도 바르샤바 왕궁 광장 사건은 끝내야 할 것 같다.

2개월이 지나도 범인 나타나지 않으니 말이다.

오늘 과학 시간에 선생님이 말씀하셨다.

"자, 오늘은 해바라기를 키울 거예요.

선생님이 해바라기 씨앗과 큰 화분을 하나씩 줄게요."

프치크는 해바라기씨 하나, 화분을 한 개를 받았다.

나도 해바라기를 키우고 싶다고 말해서 나도 똑같이 받았다.

"자, 이제 화분 가운데에 구멍을 만드세요."

우린 검지 손가락으로 구멍을 만들었다.

하지만 나는 손가락이 없기 때문에 삽으로 팠다.

"이젠 이 구멍 안에 씨앗을 넣으세요."

나는 씨앗을 넣었다.

"이제 이 구멍 안에 다시 흙을 넣으세요."

우리는 판 흙을 다시 구멍 안에 넣었다.

"자, 이제 물을 주세요."

우리는 스프레이로 물을 줬다.

그리고 해가 있는 곳에 해바라기 화분을 놓았다.

이제 2주 뒤에 싹이 틀 것이다.

- 2주 후 -

오늘 드디어 싹이 텄다.

빨리 해바라기가 피면 좋겠다.

왜냐하면 해바라기씨를 빨리 먹고 싶기 때문이다.

해바라기 씨앗은 엄청나게 고소하다.

그래서 해바라기씨는 내가 제일 좋아하는 음식이다.

오늘 학교가 끝나고 프치크랑 같이 피아노 학원에 갔다.

이번에는 그때처럼 피아노 학원을 아수라장으로 만들고 싶지 않았다.

난 그 강아지가 없기를 바랐다.

문 앞에 들어서는 순간, 강아지가 코 앞에 있었다.

프치크랑 나는 얼른 휭~ 가버렸다.

피아노 학원이 끝나고 프치크랑 집으로 가는 중이었다.

편의점을 지나고 어떤 차를 지나가는데 그 차 밑에 어떤 고양이가 있었다.

난 깜짝 놀라 프치크랑 같이 뛰어갔다.

집 앞에 도착했을 때쯤이었다.

어디서 부스럭부스럭 소리가 났다.

나랑 프치크는 그 부스럭부스럭 소리가 나는 곳으로 갔다.

풀을 들춰보니 그 안에 한 오리가 있었다.

하얀 오리였는데 몸집이 좀 작았다.

프치크는 그 오리를 조심스럽게 안았다.

그러곤 집으로 데려갔다.

프치크는 엄마에게 이 오리를 키우게 해 달라고 졸랐지만, 엄마는 이렇게 말했다.

"길에서 아무거나 주워 오지 마!

털 빠진단 말이야!"

그러곤 프치크는 방으로 들어가서 오늘 7시에 교실로 모이라고 친구들에게 전화했다.

그리고 프치크랑 나는 학교로 갔다.

친구들은 모두 다 교실에 있었다.

그러곤 프치크는 이렇게 말했다.

"내가 우리 집 앞에서 데려온 오리인데, 교실에서 키워도 될까? 엄마가 못 키우게 해서…"

그때 친구 한 명이 말했다.

"일단, 여기에서 재우고 내일 선생님께 여쭈어보자!!"

우리는 이렇게 결정했다.

우리는 오리를 여기에 두고 집으로 갔다.

다음날 7시에 학교에 와 보니 오리가 학교 교실을 난장판으로 만들어 놓았다.

책상다리가 부러져 있고, 의자는 이상한 곳에 있고…

우리는 오리를 잡으려고 했지만 오리는 절대로 안 잡혔다.

우리는 잠자리채로 겨우 오리를 잡았다.

우리는 책상다리를 본드로 붙였다.

정리가 어느 정도 되니, 그때(처음)처럼 보였다.

이 일은 아무한테도 말하면 안 된다.

오늘 우리끼리 이런 걸 했다.

게임을 했는데 보석 게임이라는 걸 했다.

보석 게임은 우리가 지은 건데 내일까지 누가 제일 비싼 보석을 가져오는 것을 경쟁하는 게임이다.

오늘 피아노 학원을 갔다 오고, 우리는 당장 산으로 갔다.

그래서 보석을 찾기 시작했다.

하지만, 보석은 나오지 않았다.

5시간 동안 보석을 찾다가 마침내 어떤 빨간색 조그만 보석을 찾았다.

그 보석은 가넷(석류석) 보석 같았다.

우리는 그것을 학교에 가져가기로 했다.

다음날, 쉬는 시간에 우리는 그 보석을 보여주었다.

어떤 아이는 하늘색 터키석 같은 것을 가져왔다.

하지만, 어떤 보석이 더 비싼지 알 수가 없었다.

제8화 가을 운동회

"오늘은 설명할 것이 있어요"

선생님이 말씀하셨다.

"다음 주에 가을 운동회를 해요.

각 반에서 하고 싶은 게임을 투표해서 가장 많이 나온 게임 8가지를 하기로 했어요.

그럼, 게임들을 소개해 줄게요.

1. 피구

2. 발야구

3. 축구

4. 이어달리기

5. 펜싱

6. 야구

7. 수영

8. 판 뒤집기

9. 높이뛰기

10. 보물찾기

11. 달리기

12. 숨바꼭질

13. 무궁화꽃이 피었습니다.

14. 다람쥐 5마리 잡기

입니다.

"흠....."

프치크는 생각했다.

학교가 끝나고 집으로 오는 길이었다.

그때 야구공이 말했다.

"어떤 운동을 할까?"

"응..., 아마 우리에게 적절한 것이 나을지도 몰라."

"???"

야구공은 프치크가 뭐라고 말한 것인지 이해가 안 되었다.

"그래! 바로 이어달리기야!"
"그래!"

다음날, 프치크와 야구공은 학교에 와서 투표지에 이렇게 썼다.

'이어달리기'

다음 주, 가을 운동회를 하는 날이 드디어 왔다.
"여러분!, 뽑힌 8가지 운동은 피구, 축구, 야구, 판 뒤집기, 높이 뛰기, 달리기, 보물찾기... 이어달리기입니다!!"

이제 가을 운동회가 시작되었다.

프치크랑 야구공이랑 5-1, 5-2, 5-3, 5-4, 5-5반이 노랑 팀, 5-6, 5-7, 5-8, 5-9, 5-10반이 파랑 팀이었다.

"그럼 지금부터 제5회 가을 운동회가 열리겠습니다!!"

"와!!"

그런데 가을 운동회는 예상대로 되지 않았다.

프치크와 야구공이 있는 노랑 팀이 4번 이겼고, 파랑 팀이 3번 이겼다.

그래서 이어달리기에서 이기면 운동회에서 이길 수 있다고 했다.

하지만, 1번밖에 안 남은 이어달리기 경기에서 지면 운동회에서 동점이 된다.

"이제 마지막 주자 나오세요!!"

프치크와 야구공이 나왔다.

"자, 출발!"

하지만 프치크가 제일 꼴찌로 달렸다.

그런데 옆에서 친구들이 응원해 주었다.

"프치크, 야구공!"

프치크는 힘을 얻어 점점 빨라졌다.

끝나는 선(결승선)이 코 앞이었다.

그런데 프치크가 1등이었다!!

"우와!!"

마지막에 프치크가 야구공을 날렸다.

프치크와 야구공은 정말 행복했다.

정말 좋은 가을 운동회였다.

부록

1. 점 잇기

2. 다른 그림 찾기(네 군데)

3. 숨은그림찾기

정답

- 끝 -

bye~!

그동안 야구책을 좋아해 주셔서 감사합니다.

작가의 말

김태희

야구책은 프치크랑 야구공이 친구가 되어 함께 지내는 이야기입니다.

프치크가 피아노 학원에 갈 때 야구공이 프치크를 따라가서 피아노 학원에서 만나서 같이 친구가 되었어요.

그리고 가을 운동회에서 프치크랑 야구공이 이어달리기에서 1등을 한 이야기입니다.

여러분도 친구를 사귀어서 멋진 일을 해 보아요.

지은이: 김태희

출판한 책 : 떠돌이 개 덕구(부크크)

아주 아주 재밌는 책!!!

야구공의 재밌는 하루!!

　난 계속 굴러다니다가 그만 어떤 아이한테 밟혀서 그 아이가 넘어지고 난 날아가 시계를 깨뜨렸다.

　피아노 학원은 완전히 아수라장이 되었다.